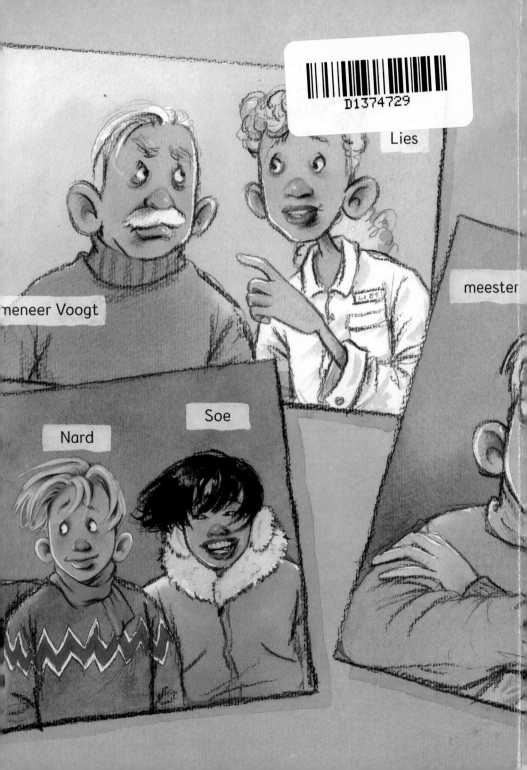

Roel

Peter Vervloed

Wie wordt de winnaar?

met tekeningen van
Joyce van Oorschot

Op de cd staat een korte leesinstructie bij dit boek.
Daarna leest de auteur het eerste hoofdstuk voor.
Kijk op de cd welk nummer bij dit boek hoort.

Achter in het boek zijn leestips opgenomen voor ouders.

NEDERLANDSE
KINDERJURY
2007

Boeken met dit vignet zijn op niveaubepaling geregistreerd
en gecontroleerd door KPC Groep te 's-Hertogenbosch.

1e druk 2006

ISBN 90.276.6275.4
NUR 286/283

© 2006 Tekst: Peter Vervloed
Illustraties: Joyce van Oorschot
Leestips: Marion van der Meulen
Vormgeving: Natascha Frensch
Typografie Read Regular: copyright © Natascha Frensch 2001 – 2006
Uitgeverij Zwijsen B.V. Tilburg

Voor België:
Zwijsen-Infoboek, Meerhout
D/2006/1919/272

Inhoud

1. Het spook

Nard staat in een hoek van de speelplaats.

Hij hijgt.

Kleine wolkjes komen uit zijn mond.

Het vriest nog steeds, denkt hij blij.

Vannacht spuit meester Roel weer water op de speelplaats.

Zo wordt de laag ijs steeds dikker.

Morgen kan ik weer schaatsen.

Ik hoop dat het blijft vriezen.

'Hé Nard, doe je niet meer mee?' hoort hij.

'Ben je nu al moe?'

Zijn vriend Joris schaatst snel naar hem toe.

Hij remt vlak voor Nard.

Zijn schaatsen krassen over het ijs.

Hij botst net niet tegen Nard op.

'Hoe rijden je nieuwe schaatsen?' vraagt Joris aan Nard.

Met een trots gezicht kijkt Nard naar zijn schaatsen.

Het leer van de schoenen glanst in de zon.

'Ik moet eraan wennen,' zegt hij.

'De **ijzers** zijn zo scherp als een mes.

Maar het lijkt of ik over het ijs zweef.'

'Ze zijn **prachtig**,' zegt Joris.

'Ik ben echt **jaloers** op je.'

'Opzij! Kijk uit!'

Nard kijkt op.

Soe glijdt in volle vaart op hem af.
Ze houdt haar armen voor zich uit.
'Mijn rem doet het niet!' roept ze.
Nard lacht.
'Er zit geen rem op je schaatsen, Soe.
Je moet het echt zelf doen.'

Soe glijdt recht in de armen van Nard.
Hij pakt haar vast, zodat ze niet valt.
Nard lacht.
'Wil je met me dansen?' vraagt hij.
Soe wordt rood onder haar bruine huid.
'Ik leer het nooit,' zegt ze.
'Dat geeft niets,' zegt Joris.
'Nard vangt je graag nog een paar keer op.'
Nu wordt Nard ook rood.
De hele klas weet dat hij Soe erg leuk vindt.
Ze is pas een week op school.
Van meester Roel moest ze naast hem gaan zitten.
Dat vond Nard in het begin niet leuk.
Maar nu vindt hij Soe de liefste van de klas.
Hij leert haar graag schaatsen.

Om half zes fietst Nard naar huis.
Het is stil, donker en koud om hem heen.
Nard woont aan de rand van het dorp.
Hij moet nog een half uur fietsen.
Joris woont bij hem in de buurt.

Ze fietsen altijd samen.
Deze keer kon dat niet.
Joris had na school een afspraak bij de tandarts.
Nard moet dus alleen naar huis fietsen.
Dat vindt hij deze keer niet erg.
Hij fluit zelfs, want hij voelt zich goed.

Nard kijkt heel even om.
Hij ziet zijn nieuwe schaatsen.
Ze liggen veilig onder zijn **snelbinders**.
Soe lacht nog steeds lief naar me, denkt hij.
En morgen kan ik weer op de speelplaats schaatsen.
Woensdag is de dag van de **schaatswedstrijd**.
Ik ga vast winnen.
Niemand van de klas haalt me in.
Zelfs Joris kan niet van me winnen.
Ik snap best dat hij **jaloers** op me is.

Nard kijkt in het licht van zijn fietslamp.
Hij ziet alleen een stuk van het fietspad.
Ineens staat er iemand voor hem.
Nard schrikt en remt zo hard hij kan.
Hij kijkt in een wit, mager gezicht.
Het lijkt de kop van een spook.

2. U doet gevaarlijk

Nard remt hard.
Hij komt schuin op het fietspad te staan.
Iemand loopt langs hem heen.
Nu ziet Nard dat het een oude man is.
Hij heeft een lange jas aan en een pet op.
Zonder uit te kijken loopt hij de weg op.
Vlug stapt Nard van zijn fiets.
'Wacht even, meneer!' roept hij.
De man loopt door.
Nard zet zijn fiets tegen een boom.
Hij rent achter de man aan.
'Stop, straks loopt u tegen een auto op!'
Het lijkt of de man hem niet hoort.
Nard pakt hem bij zijn arm.
'U doet gevaarlijk,' zegt hij.

De oude man draait zich om.
Nard kijkt in zijn ogen die rood en vochtig zijn.
'Laat me met rust!' schreeuwt de man schor.
Hij rukt zich los.
In de verte komt een auto aan.
Nard merkt het, maar de oude man niet.
Hij springt op de man af.
Hij grijpt hem bij zijn jas en trekt hem weg.
De auto zoeft vlak langs hen heen.

De oude man valt voorover in de berm van de weg.
Nard buigt zich over hem heen.
'Dat was net op tijd,' zegt hij zacht.
'Hebt u zich pijn gedaan?'
De man kijkt hem aan.
'Geen pijn, koud,' zegt hij.
'Naar huis, warm.'
'Ik breng u wel naar huis,' zegt Nard.
'Maar eerst moet u gaan staan.'
De man steekt zijn hand uit.
Nard helpt hem omhoog.

'Waar woont u?' vraagt Nard.
'Ik wil naar huis,' zegt de oude man.
Die man weet niet waar hij woont, denkt Nard.
Misschien … hij voelt in de zak van zijn jas.
'Dief!' roept de oude man.
Hij rukt zich los en balt zijn vuist.
'Ik sla je tot moes!' zegt hij.
'Daar is het veel te koud voor,' lacht Nard.
'Koud,' rilt de oude man, 'naar huis.'
Nard vindt een kaartje in zijn jaszak.
'Huize De Oever,' leest hij hardop.
'Ja,' knikt de oude man.
'Daar woon ik.'
Nard weet wel waar huize De Oever is.
Het is een groot huis waar oude mensen wonen.

Nard loopt met de oude man langs het fietspad.

Het is niet ver naar huize De Oever.

Toch doen ze er lang over.

Veel langer dan Nard verwacht had.

De oude man kan niet zo snel lopen.

Ook waait zijn pet steeds van zijn hoofd.

Nard zucht diep.

Had hij zijn fiets niet op slot moeten doen?

Ach, het is niet druk op de weg.

Zijn fiets staat veilig tegen die boom.

3. Naar, maar waar

Nard en de oude man staan voor huize De Oever.
De oude man rilt van de kou.
'Houd nog even vol, meneer,' zegt Nard.
'Binnen is het warm.'
Hij drukt op de bel naast de deur.
Een vrouw komt snel naar hem toe.
Ze draagt een witte bloes en een witte broek.
'Oei, Lies is boos,' zegt de oude man zacht.
Nard kijkt naar haar gezicht.
Dat ziet u goed, meneer, denkt hij.
Ik weet waarom ze boos is.
Lies opent de deur en doet een stap opzij.
'Kom vlug binnen, meneer Voogt,' zegt ze.
'We zijn blij dat u weer thuis bent.'

Nard zit in de hal van huize De Oever.
Voor hem staat een groot glas sap.
Meneer Voogt zit naast hem.
Lies trekt een stoel bij.
'U loopt steeds weg, meneer Voogt,' zegt ze.
'Als u dat weer doet, word ik echt boos.'
Bang kijkt meneer Voogt naar de vloer.
Nard neemt een slok van zijn sap.
Meneer Voogt schrikt op en wijst naar hem.
'Hij wilde me slaan,' zegt hij.

Lies schiet in de lach.

'Meneer Voogt is in de war,' zegt ze.

'Daarom loopt hij vaak weg.

Ik kan niet de hele dag op hem letten.

Fijn dat jij hem thuisgebracht hebt.'

Nard rent naar zijn fiets terug.

De wind blaast in zijn gezicht.

Het doet pijn als hij ademt.

Zo hard vriest het.

Straks bevriest het drinken in mijn buik, denkt hij.

Daar ziet hij zijn fiets al staan.

Het stuur glanst in het licht van de maan.

Nard zucht van opluchting.

Nu vlug naar huis, denkt hij.

'Nee!' roept Nard, als hij bij zijn fiets staat.

Hij pakt de **snelbinders** beet.

Nard gelooft niet wat hij ziet.

'Nee!' roept hij weer.

Om hem heen blijft het donker en stil.

Toch is het waar.

Zijn schaatsen liggen niet meer onder de **snelbinders**.

Ze liggen ook niet in de berm van de weg.

De nieuwe schaatsen van Nard zijn gestolen.

Een dief heeft ze van zijn fiets gepakt.

Nard trekt aan de **snelbinders** en laat ze los.

Hij stompt op het zadel van zijn fiets.

'Dit is gemeen!' schreeuwt hij.

Nard leunt met zijn voorhoofd op het stuur.
Hij huilt van verdriet, maar hij is ook woest.
Had ik die oude man maar niet gezien.
Dan had ik hem ook niet hoeven helpen.
Nu ben ik mijn schaatsen kwijt, denkt hij.
Mijn mooie, nieuwe schaatsen zijn weg.
'Bedankt, meneer Voogt!'
Nard stampt hard op de grond.
Ook schopt hij een paar keer tegen de boom.
Het helpt niets, want zijn schaatsen blijven weg.

Nard stapt op zijn fiets en rijdt naar huis.
Door zijn tranen ziet hij het fietspad niet goed.
Soms fietst hij de weg op.
Bijna botst hij tegen een auto aan.
Ik help niemand meer, denkt hij.
Nooit meer!

4. Nard is woest

Nard zet zijn fiets in de schuur.
Hij opent de deur van de keuken.
'Wat ben jij laat,' zegt zijn moeder.
Met een lach draait ze zich om.
'Het was zeker veel te leuk op het ijs.'
'Mijn schaatsen zijn weg,' zegt Nard zacht.
Zijn moeder buigt zich naar hem toe.
'Wat zeg je daar?'
'Ben je soms doof!' roept Nard.
'Mijn schaatsen zijn van mijn fiets gestolen.
Dat is gemeen!'
Zijn moeder slaat haar arm om hem heen.
Ze neemt hem mee naar de huiskamer.
Samen gaan ze op de bank zitten.
'Vertel rustig wat er gebeurd is,' zegt zijn moeder.
Nard vertelt haar over meneer Voogt.
Zijn moeder luistert naar hem.

Als Nard klaar is, zucht ze diep.
'Wat erg is dat voor jou,' zegt ze zacht.
'Heb je wel goed gezocht?'
'Ja natuurlijk!' zegt Nard.
Hij snuift.
'Wat ruikt het hier ineens raar!'
De moeder van Nard springt van de bank.

Ze rent naar de keuken.
'Het eten brandt aan!' roept ze.

Nard haalt zijn schouders op.
'Geeft niet, want ik heb toch geen trek.'
'Dat snap ik,' zegt zijn moeder.
'Je hebt je oude schaatsen toch nog?
Ze liggen in de schuur.
Als je ze laat slijpen, lijken ze weer nieuw.'
Nard schudt zijn hoofd.
'Ik ga niet met die oude schaatsen naar school.
Ik schaats niet meer, nooit meer!'

Nard zit met zijn ouders aan tafel.
Ze eten boontjes met een zwart randje.
Zijn vader kauwt lang op een taai stuk vlees.
'Je moet naar de politie gaan,' zegt hij.
'Je moet de diefstal melden.
Dat kan trouwens ook via internet.
We doen het straks samen wel.'
Nard prikt een paar boontjes aan zijn vork.
'Ze vinden mijn schaatsen toch niet terug.'
Zijn vader haalt zijn schouders op.
'Over een paar dagen gaat het dooien,' zegt hij.
'Dan is het uit met de pret.
Je gaat gewoon weer voor nieuwe schaatsen sparen.'
Hij voelt in de zak van zijn broek.
'Hier.'

Hij geeft Nard een briefje van tien euro.
'Dit is vast een start.'

Nard kijkt naar het briefje van tien.
'Dank je wel, pa,' zegt hij zacht.
Maar wat heb ik hieraan? denkt hij.
Het is veel te weinig voor nieuwe schaatsen.
Een start is het wel, ja.
Dat is alles.
'Ik schaats niet meer, nooit meer,' zegt hij weer.
Zijn ouders kijken elkaar aan.
'Het is naar voor je, Nard,' zegt zijn moeder.
'Maar je hebt die oude man naar huis gebracht.
Dat is heel goed van je.
Ik ben trots op je.'
Nard voelt zich niet trots.
Hij is woest en hij blijft woest.

5. Een grapje

Nard komt de speelplaats op.
Hij zet zijn fiets in de stalling.
Hij hoeft zijn schaatsen niet te pakken.
Er komt een brok in zijn keel.
Vlug slikt hij die weg.
Ik moet niet meer janken, denkt hij.
Dat helpt niks.
Joris schaatst op hem af en stopt voor hem.
'Heb je zin in een **wedstrijdje**?' vraagt hij.
'Ik kan geen **wedstrijd** meer rijden,' zegt Nard.
'Waarom niet?'
Nard steekt zijn voet uit.
'Kijk eens goed, zie jij een schaats?'
Joris schudt zijn hoofd.
'Je durft niet meer te schaatsen,' zegt hij.
'Ben je bang dat je van mij verliest?'

Nard vertelt Joris wat er gebeurd is.
'Wat een rotstreek!' roept Joris.
'Als ik die dief vind, dan ...'
'Kijk uit!' horen Joris en Nard.
Soe komt recht op hen af.
Ze houdt haar armen voor zich uit.
Zo glijdt ze naar Nard toe.
Nard vangt haar op, maar hij valt.

Soe valt met hem mee.

Haar hoofd stoot hard in zijn buik.

'Au, kijk toch uit wat je doet!' zegt Nard.

Fel duwt hij Soe van zich af.

Joris schiet in de lach.

'Het paar van de week!' roept hij.

Nard voelt dat hij heel kwaad wordt.

Om Nard en Soe komt een groep kinderen staan.

'Liggen die twee te zoenen?' vraagt een van hen.

De kinderen lachen en ze wijzen naar Nard en Soe.

Nard staat op en kijkt Joris kwaad aan.

Soe trekt aan zijn arm.

'Het was maar een grapje van Joris,' zegt ze.

'Het is mijn schuld.'

Nard rukt zich los en balt zijn vuisten.

'Het was echt maar een grapje, Nard!' roept Joris.

'Daar kun je toch wel tegen?'

6. Ruzie

Nard hoort niet wat Joris roept.
Hij is zo kwaad dat hij niets meer hoort.
Hij wil naar Joris toe rennen.
Zijn voeten glijden uit over het gladde ijs.
Hij valt en komt hard op het ijs terecht.
Nard schreeuwt het uit van de pijn.
Toch staat hij weer snel op.
Een pijnscheut trekt door zijn benen.
'Ik ben toch jouw vriend, Nard!' zegt Joris.
Bang kijkt hij om zich heen.

Joris wil snel de speelplaats op schaatsen.
Dat lukt hem niet.
De kinderen staan in de weg.
'Laat me erdoor!' gilt Joris.
De kinderen doen net of ze hem niet horen.
Joris probeert tussen hen door te schaatsen.
Maar ze gaan dichter tegen elkaar aan staan.
Een van hen duwt hem naar Nard toe.
'Leuk grapje, hoor,' sist Nard naar Joris.
'Je bent **jaloers** op mij.'
'Dat is niet waar,' zegt Joris.
Zijn stem klinkt hoog van angst.

Nard geeft Joris een stomp tegen zijn borst.

Joris kan niet op zijn schaatsen blijven staan.

Hij verliest zijn evenwicht en valt.

'Sta op!' roept Nard hees.

'Sta eens op als je durft?'

Soe gaat voor Nard staan.

Ze drukt haar handen tegen zijn borst.

'Laat Joris met rust, Nard,' smeekt ze.

'Het is mijn schuld.

Dus pak mij maar als je durft.'

De kinderen moeten lachen.

Nard weet niet meer wat hij moet doen.

Hij wil Soe niet stompen of slaan.

'Mijn schaatsen zijn gestolen,' zegt hij.

'Joris weet er volgens mij meer van.'

Soe kijkt Nard met grote ogen aan.

'Denk jij dat Joris jouw schaatsen gestolen heeft?'

Nard staart naar het ijs.

Gisteren was Joris nog zijn beste vriend.

Nu zegt hij dat Joris een dief is.

Dat kan niet, dat is heel erg.

Meteen heeft hij er spijt van.

Maar hij heeft het al gezegd.

Alle kinderen hebben het gehoord.

'Joris was **jaloers** op mijn nieuwe schaatsen,' zegt hij.

'Dat heb je gisteren zelf gehoord.

En hij moet dezelfde weg naar huis als ik.

Hij heeft mijn fiets zien staan.'

'Dan is hij nog geen dief,' zegt Soe.
'Dan steelt hij jouw schaatsen nog niet.'
Ze draait zich om en schaatst weg.

7. Ik doe niet mee!

Meester Roel staat voor zijn klas.
Om zijn nek hangen een paar oude schaatsen.
Ze zijn van hout en de **ijzers** zijn verroest.
'Morgen is de grote **schaatswedstrijd**,' zegt hij.
'Ik ben benieuwd wie de snelste is.
Deze beker is voor de winnaar.'
Hij houdt een grote beker omhoog.
'En ik gooi hem vol met snoep,' lacht hij.
De kinderen roepen en juichen.
Nard doet niet mee en kijkt voor zich uit.
Meester Roel ziet het en loopt naar hem toe.
'Wat is er aan de hand, Nard?' vraagt hij.
'Jij hebt de kans om de beker te winnen.
Ik heb jou zien rijden op je nieuwe schaatsen.
Niemand haalt jou in, denk ik.'

In de klas wordt het snel stil.
Alle kinderen draaien zich om naar Nard.
Hij krijgt er een kleur van.
'Ik doe niet mee met de **wedstrijd**,' zegt hij.
'Waarom niet?'
'Joris heeft zijn schaatsen gestolen!' roept iemand.
Meester Roel kijkt verbaasd naar Joris.
'Is dat waar?'
Joris schudt zijn hoofd.

Er komen tranen in zijn ogen.

'Nard zegt het zelf!' roept weer iemand anders.

'Is dat waar?' vraagt meester Roel.

Nard durft hem niet aan te kijken.

'Ik weet het niet zeker,' zegt hij zacht.

'Heb je gezien dat Joris jouw schaatsen pakte?'

'Nee, dat niet.'

'Dus je hebt geen enkel bewijs,' zegt meester Roel.

'Je **beschuldigt** Joris, maar je hebt geen enkel bewijs.
Mooi is dat.'

Nard knijpt zijn ogen dicht.

'Het is zo gemeen!' roept hij.

Met zijn vuist slaat hij op zijn tafel.

'Daar heb je gelijk in,' knikt meester Roel.

'Maar Joris zou jouw schaatsen nooit stelen.

Dat weet ik zeker.'

'Ik ook,' zegt Soe.

Meester Roel kijkt van Nard naar Joris.

'Jullie moeten het snel goed maken,' zegt hij.

'Echte vrienden kunnen dat.'

Meester Roel staat weer voor de klas.

'De **schaatswedstrijd** gaat gewoon door,' zegt hij.

'Ik vind dat Nard mee moet doen.

Wie heeft er schaatsen voor hem?'

Een paar vingers gaan de lucht in.

'Je mag kiezen, Nard,' zegt meester Roel.

Nard zegt niets.

'Komt er nog wat van, Nard?' vraagt meester Roel.

Nard kijkt hem kwaad aan.

'Ik zei toch dat ik niet meedoe?'

Meester Roel zet zijn bril af.

Hij haalt zijn zakdoek uit zijn broekzak.

Dan begint hij zijn bril te poetsen.

De kinderen houden hun adem in.

Als meester Roel dat doet, denkt hij diep na.

Meester Roel zet zijn bril weer op zijn neus.

Hij loopt naar Nard toe.

'Dus jij doet niet mee, Nard,' zegt hij.

'Toch ben je altijd welkom.

Onthoud dat goed.'

Soe kijkt Nard aan.

Waarom doet hij zo stom? denkt ze.

Gisteren was hij nog zo aardig.

Soe denkt diep na.

Dan heeft ze een idee.

8. Alleen

Tussen de middag blijft Nard altijd op school.
Ook Joris eet in de klas zijn brood op.
Deze keer zitten ze niet naast elkaar.
Nard zit in een hoek van het lokaal.
Hij wil met niemand praten.
Daarom heeft hij een boek voor zich liggen.
Het lijkt of hij zit te lezen.
Af en toe neemt hij een hap van zijn brood.
Hij wil niet naar de speelplaats kijken.
Daar zijn weer kinderen aan het schaatsen.
Ze oefenen voor de **wedstrijd** van morgen.
Morgen blijf ik lekker thuis, denkt Nard.
Ik word ziek van die **wedstrijd**.

Om één uur moeten alle kinderen naar buiten.
Nard leunt tegen de muur van de school.
Hij ziet dat Joris zijn schaatsen aantrekt en wegrijdt.
Nard kijkt hem na en roept: 'Goed zo!'
Joris hoort hem niet of doet net alsof.
Hij schaatst vlak langs Nard heen naar Soe toe.
Nard ziet dat Soe iets in zijn oor zegt.
Het is grappig, want Joris moet heel hard lachen.
Ze maken grapjes over mij, denkt Nard.
Hij voelt zich alleen, erg alleen op de speelplaats.

Soe schaatst naar Nard toe.

Ze drukt een grote tas tegen zich aan.

'Ik heb iets bij me voor jou,' zegt ze.

Nard zet grote ogen op.

'Ik ben nog niet jarig,' zegt hij.

'Dat weet ik wel,' lacht Soe.

Nard pakt de tas van haar aan.

Hij kijkt erin en krijgt een kleur.

'Is dit een grap?' vraagt hij.

9. Je durft niet!

Soe kijkt Nard ernstig aan.
'Het is echt geen grapje,' zegt ze.
'Het zijn de schaatsen van mijn oudste zus.
Volgens mij passen ze jou wel.'
Nard haalt de schaatsen uit de tas.
'Ze zijn wit!' roept hij.
'Mijn zus vindt wit een mooie kleur,' zegt Soe.
'Pas ze eens aan?'
'Ik doe niet mee met de **schaatswedstrijd**,' zegt Nard.
'En al helemaal niet op witte schaatsen.'
Soe kijkt hem met haar liefste lach aan.
'Ik dacht dat je mij aardig vond,' zegt ze.

Nard voelt dat hij rood wordt.
'Ik ... ik vind jou ook aardig,' zegt hij.
'Waarom pas je die schaatsen dan niet aan?
Durf je soms niet?'
'Maar ze zijn wit,' zegt Nard.
'Daar kan ik niks aan doen,' zegt Soe.
'Gisteren wilde je toch die oude man helpen?'
'Dat heeft er niks mee te maken!' roept Nard.
'Dat heeft er wel mee te maken!' zegt Soe.
'Jij helpt iemand anders wel, maar ...'
'Maar wat?'
'Ik mag jou niet helpen.

Dat vind ik superstom van je.'

Nard kijkt langs Soe heen.
Hij kijkt recht in het gezicht van Joris.
Die draait zich om en schaatst vlug weg.
Mijn vriend ben ik al kwijt, denkt Nard.
Dat is mijn eigen schuld.
Moet ik Soe ook nog kwijtraken?
Maar witte schaatsen!
Alle kinderen zullen me uitlachen.
'Je wilt die schaatsen niet,' zegt Soe.
'Geef ze maar weer terug.'
Nard drukt de schaatsen tegen zich aan.
'Ik doe wel mee met de **wedstrijd**,' zegt hij.
'En ik win op de schaatsen van jouw zus.'
'Zie je wel dat je durft,' lacht Soe.

Nard kijkt Joris na.
Hij ziet dat Joris een snelle ronde rijdt.
Het is moeilijk om van hem te winnen, denkt Nard.
Toch ga ik het proberen!

10. De wedstrijd

Het is woensdag.
Alle kinderen zijn buiten op de speelplaats.
De ijsbaan glanst in het licht van de zon.
Er klinkt muziek.
'Het ijs ziet er goed uit,' zegt meester Roel.
'Ik ben blij dat je toch meedoet, Nard.
Zijn Joris en jij nu weer vrienden?'
Nard haalt zijn schouders op.
'Nog niet helemaal,' zegt hij.
'Dus nog helemaal niet,' zegt meester Roel.
'Jij hebt Joris vals **beschuldigd**, Nard.
Dus je moet met hem gaan praten.'
Nard weet dat heel goed.
Eerst ga ik de **wedstrijd** rijden, denkt hij.
Daarna zie ik wel wat ik doe.

De baan is net zo lang als de speelplaats.
Telkens moeten twee kinderen tegen elkaar schaatsen.
Ze moeten heen en weer terug.
De winnaar mag door, de verliezer valt af.
Eerst rijden de kinderen van groep vijf en zes.
Daarna komen groep zeven en acht aan de beurt.
Nard hoeft zijn schaatsen nog niet aan te trekken.
Hij wacht er liefst heel lang mee.
Niemand weet dat hij op witte schaatsen gaat rijden.

Nou ja, alleen Soe dan, omdat het haar plan was.
Nard glimlacht en schudt langzaam met zijn hoofd.
Die Soe met haar rare plan, denkt hij.

Soe komt naar Nard toe schaatsen.
Onder haar arm klemt ze een lange rol.
'Wat heb je nu weer bij je?' vraagt Nard.
'Een spandoek,' zegt Soe.
'Wat staat erop?'
'Dat laat ik je nu nog niet zien.
Trek je schaatsen maar aan.
Groep zes is bijna klaar.
Dan ben jij aan de beurt.'
Nard gaat zitten en pakt zijn schaatsen.
In het zonlicht lijken ze nog witter.
'Ik rijd voor gek,' zegt hij.
'Niet als je heel snel bent,' zegt Soe.

Nard staat klaar voor zijn eerste **wedstrijd**.
Zijn tegenstander lacht.
'Denk jij te winnen op die schaatsen?' vraagt hij.
'Op je plaatsen!' roept meester Roel.
Zijn pistool gaat omhoog.
Een harde knal klinkt over de speelplaats.
Nard kan niet zo vlug starten.
Hij moet nog wennen aan zijn schaatsen.
'Hé, Nard rijdt op **meisjesschaatsen**!' hoort hij.
De kinderen langs de kant joelen en lachen.

Ja, het zijn **meisjesschaatsen**, denkt Nard.

Nou en?

Ik kan er heel hard op schaatsen.

Dat zal ik jullie eens laten zien.

Hij gaat harder rijden en haalt zijn tegenstander in.

Zijn voorsprong wordt steeds groter.

Hij wint met gemak.

'Kijk even, Nard!' hoort hij Soe roepen.

Samen met Joris houdt ze het spandoek omhoog.

Nard krijgt een brok in zijn keel.

11. In de finale

Nard kijkt naar het spandoek.
'Nard is onze **kampioen**,' leest hij.
Meester Roel komt naar hem toe.
Hij slaat zijn arm om Nard heen.
'Wat was jij snel,' zegt hij.
'De tekst op het spandoek van Soe kan kloppen.
Ik denk dat jij de finale gaat rijden.
Misschien win jij zelfs de beker met snoep.'
Nard veegt zijn schaatsen schoon.
'Ik rijd er beter op dan ik dacht,' zegt hij.
'Succes, **kampioen**,' wenst meester Roel hem.

Nard wint elke **wedstrijd** die hij rijdt.
Ook Joris is steeds de winnaar.
'Joris en Nard rijden de finale!' roept meester Roel.
De kinderen aan de kant juichen.
Nard staat klaar bij de start.
Joris glijdt er langzaam naartoe.
Hij kijkt niet naar Nard.
'Klaar?' vraagt meester Roel.
Zijn hand met het pistool gaat omhoog.
Als het startschot klinkt, zijn Nard en Joris direct weg.

Nard rijdt zo hard hij kan.
Hij gluurt opzij.

Ik heb een kleine voorsprong, denkt hij.

Na tien meter rijdt Joris hem voorbij.

De **wedstrijd** is heel spannend.

De kinderen aan de kant zijn er stil van.

Nu moeten Nard en Joris keren.

Joris kan bijna niet op zijn schaatsen blijven staan.

Hij valt.

Vlug staat hij weer op en rijdt verder.

Nu heeft Nard een grote voorsprong.

Ik ga winnen, denkt hij blij.

Niemand kan Nard, de **kampioen**, verslaan.

12. En de winnaar is …

Joris probeert Nard nog in te halen.
Dat lukt hem niet.
Maar wat gebeurt er voor hem?
Nard gaat niet zo snel meer.
Wat is er met hem aan de hand?

Ik wil niet winnen, denkt Nard.
Joris mag de beker met snoep hebben.
Ik ben erg gemeen tegen hem geweest.
Daarom mag hij van mij winnen.
Nard gaat steeds langzamer rijden.
Hij doet alsof hij heel moe is.
Met zijn handen steunt hij op zijn benen.
'Ik … ik kan niet meer,' zegt hij.

Joris schaatst Nard voorbij.
Hij steekt allebei zijn armen in de lucht.
'Joris is de winnaar!' roept meester Roel.
'En Nard heeft de tweede prijs.'
Nard schaatst naar Joris toe.
Hij steekt zijn hand uit en kijkt Joris aan.
Joris kijkt naar de hand.
Dan pakt hij hem stevig vast.
'Jij hebt de beker eerlijk gewonnen,' zegt Nard.
'Ik heb jou vals **beschuldigd**.

Daar heb ik veel spijt van.
Wil je mijn vriend weer zijn?'
'Ik wil alleen jouw beste vriend zijn,' zegt Joris.

Soe komt bij de twee jongens staan.
'Goed gedaan, Joris!' zegt ze.
'Je hebt gewonnen van onze **kampioen**.'
'Dat klopt,' knikt Nard.
'Ik was in de sprint gewoon niet snel genoeg.'
Soe kijkt van de een naar de ander.
'Het lag aan jouw schaatsen, Nard,' zegt ze.
'De schaatsen van mijn zus zijn niet goed.'
'Joris was sneller dan ik,' zegt Nard.
'Hij heeft eerlijk gewonnen.'

Meester Roel geeft Joris de beker.
'Je bent de winnaar van de klas,' zegt hij.
Joris houdt de beker omhoog.
Hij rijdt een rondje over de speelplaats.
Dan rijdt hij naar Nard en Soe toe.
'Die beker snoepen we samen leeg,' zegt hij.
'Tot we er buikpijn van krijgen.'

Soe schaatst een eind de speelplaats op.
'Kijk uit, ik kom eraan!' roept ze.
Ze remt vlak voor Nard en Joris.
'Je kunt al goed remmen,' zegt Joris.
'Dat zal Nard jammer vinden.'

'Waarom?' vraagt Nard, terwijl hij naar Soe glimlacht.
'Dat weet je heus wel,' zegt Joris.
'Je vangt Soe graag nog een paar keer op.'
'O, bedoel je dat!' roepen Nard en Soe tegelijk.
Hun lach klinkt over de speelplaats.

Leestips

Algemeen

Leesplezier is het allerbelangrijkste!

Kinderen bij wie het leren lezen niet zonder problemen is verlopen, vinden lezen moeilijk en niet leuk. De boekenserie Zoeklicht Dyslexie wil de drempel om te gaan lezen verlagen en kinderen laten ervaren dat het lezen van een verhaal plezier geeft.

U kunt als ouder een belangrijke rol spelen in het laten ervaren van leesplezier. Daarom hebben we hieronder wat eenvoudige tips bij elkaar gezet.

De gulden regel is om het plezier in het lezen voorop te stellen. **Dwing uw kind nooit tot lezen.** Kies geen boeken voor het kind waarvan u niet zeker weet dat uw kind het onderwerp leuk vindt. En kies liever een boek met een (te) laag AVI-niveau dan een boek met een (te) hoog AVI-niveau.

Maak lezen niet tot straf. Stel het lezen niet in de plaats van iets wat uw kind graag doet, bijvoorbeeld computeren of televisie kijken. Lees elke dag een kwartiertje op een tijdstip dat uw kind het wil. Geef het bijvoorbeeld de keuze: of om acht uur naar bed of nog een kwartiertje opblijven om samen te lezen. Zo wordt lezen extra leuk.

Een keer geen zin in lezen? Lees dan voor. Hiermee zorgt u ervoor dat uw kind kan blijven genieten van boeken en verhalen, zonder dat het hiervoor een (te) grote inspanning moet leveren. Heeft u een poosje geen tijd om voor te lezen? Leen dan eens een luisterboek bij de bibliotheek.

Wie wordt de winnaar?

Maak uw kind nieuwsgierig. Om uw kind nieuwsgierig te maken naar dit boek, kunt u het boek alvast samen bekijken, zonder het te gaan lezen. Bekijk de titel: *Wie wordt de winnaar?* en de voorkant van het boek. Waar zou het verhaal over kunnen gaan? Ook via de luister-cd kunt u uw kind nieuwsgierig maken naar de inhoud van het boek. Laat uw kind rustig luisteren naar het fragment op de cd. De auteur leest het eerste hoofdstuk voor. Uw kind hoeft hierbij niet mee te lezen in het boek. Tijdens het fragment op de cd hoort uw kind dat Nard met zijn nieuwe schaatsen achterop vrolijk naar huis fietst. Nard denkt aan de schaatswedstrijd die over een paar dagen gehouden zal worden. Opeens schrikt Nard erg als er een schim voor zijn fiets opduikt. Hierdoor wordt uw kind vast benieuwd naar het verloop.

Ook via de grote tekening voor in het boek waarop alle hoofdpersonen worden voorgesteld, komt uw kind al in de sfeer van het boek.

Lastige woorden op de flappen. In elk boek komen woorden voor die lastig te lezen zijn. In dit boek komt onder andere het woord *schaatswedstrijd* een aantal maal voor. Dit is een lastig woord, want het is een veel langer woord dan de meeste woorden en in het woord staan veel medeklinkers bij elkaar: *schaatswedstrijd*. De lastigste woorden uit het boek hebben we daarom op een flap bij elkaar gezet. Thuis kunt u deze woorden samen bekijken: u als ouder leest de woorden een keer voor. Uw kind kijkt mee en kan de woorden als een echo nazeggen. Straks bij het lezen legt u de flappen open en dan zijn deze woorden niet zo moeilijk meer. De woorden op de flap worden ook op de cd voorgelezen. Komt een moeilijk woord dat op de flap staat voor in de tekst, dan is dit een beetje zwarter gemaakt dan de andere woorden. Uw kind weet zo dat dit een van de lastige woorden op de flap is.

meisjesschaatsen

prachtig

wedstrijdje / wedstrijd

schaatswedstrijd

snelbinders

Samen lezen. Om de vaart in het verhaal te houden, kunt u met uw kind afspreken dat jullie dit boek om beurten lezen: uw kind een bladzijde en u een bladzijde. Hierdoor kan uw kind zich af en toe concentreren op de inhoud van het verhaal, zonder dat het zich moet inspannen om de tekst te ontcijferen.

Prijs uw kind. Prijs uw kind uitbundig, als het dit boek helemaal heeft uitgelezen. Het heeft een hele prestatie geleverd en dat mag benadrukt worden. Vertel uw kind bijvoorbeeld dat er in dit boek twaalf hoofdstukken staan die het, samen met u, allemaal gelezen heeft. Voor in het boek staan de titels van alle hoofdstukken. Door de titels samen nog een keer te lezen, kunt u nog even napraten over wat er in het boek allemaal gebeurd is.

Naam: *Peter Vervloed*
Ik woon met: *mijn vrouw Vonnie.*
Dit doe ik het liefst: *lezen en muziek maken.*
Dit eet ik het liefst: *rijst met kip.*
Het leukste boek vind ik: *Pudding Tarzan.*
Mijn grootste wens is: *schrijven in een warm land.*

Naam: *Joyce van Oorschot*
Ik woon met: *Noey (13), Keanu (11), Zoopie (zwart-wit gevlekt flapoorkonijn), een Vlaamse Reus (heel groot konijn) en een nest met negen jonge konijntjes.*
Dit doe ik het liefst: *schilderen, illustreren, lezen, in de tuin zitten.*
Dit eet ik het liefst: *lasagne, hazelnootijs.*
Het leukste boek vind ik: *de kinderboeken die ik illustreer.*
Mijn grootste wens is: *schilderen op Aruba.*